yukibooks.com/b/d

baby

baby

boy

jongen

friends

vrienden

girl

meisje

smile

lach

cry

huilen

hair

haar

eye

oog

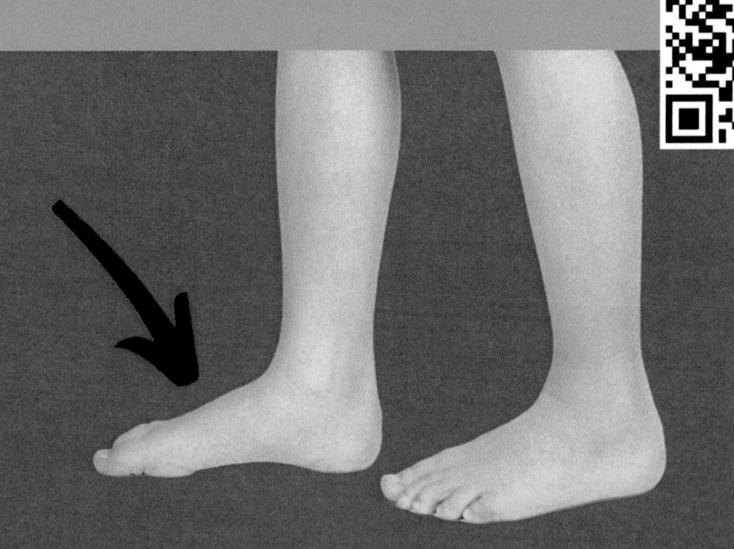

foot

voet

hand

hand

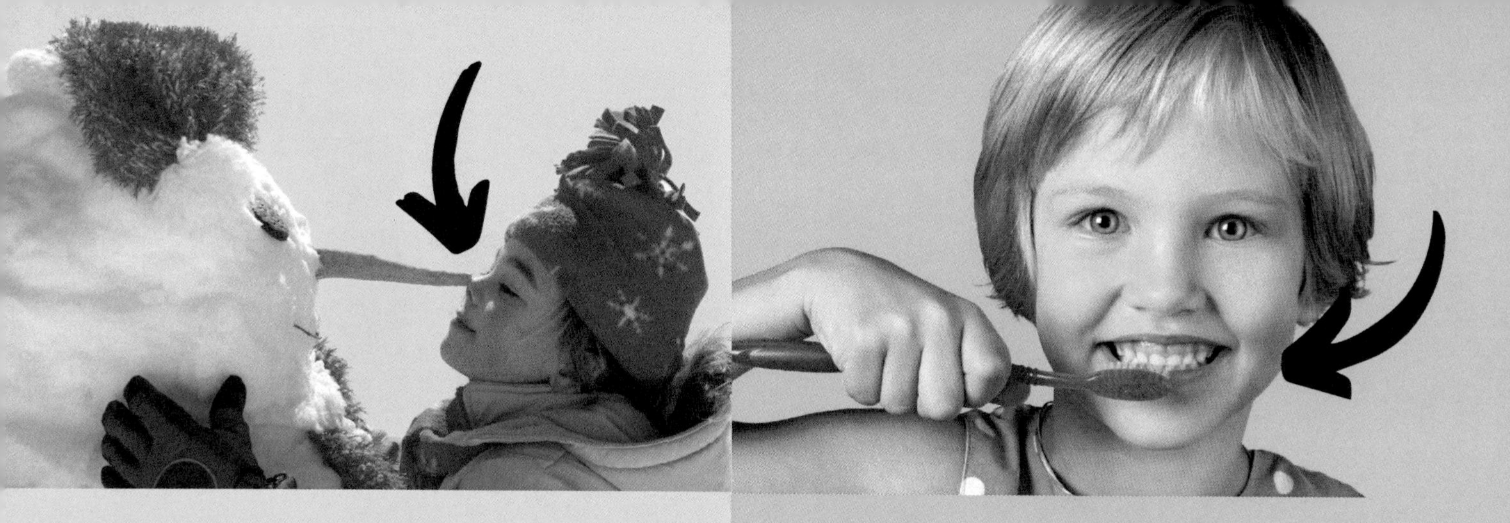

nose

neus

teeth

tanden

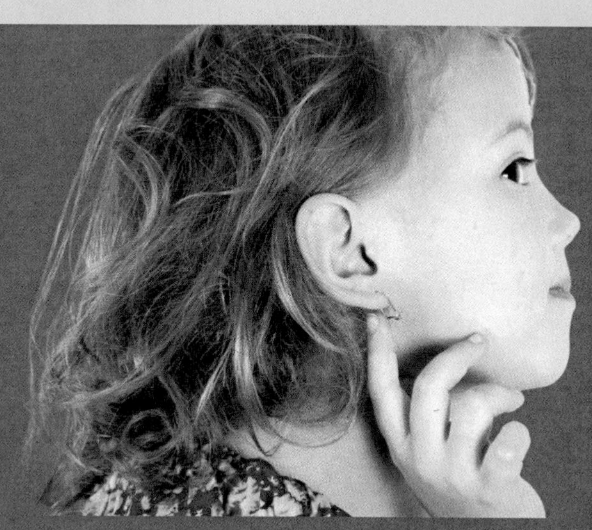

ear

oor

tongue

tong

sun

zon

moon

maan

star

ster

tree

boom

bird

vogel

coat

jas

pants

broek

dress

jurk

shoes

schoenen

red
rood

blue
blauw

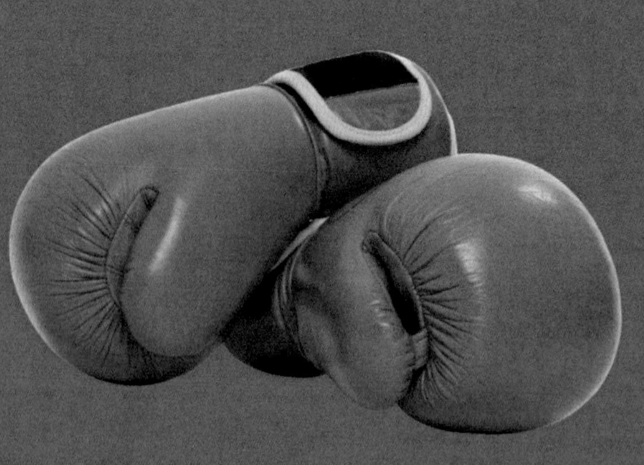

yellow
geel

pink
roze

white

wit

green

groen

black

zwart

multicolored
veelkleurig

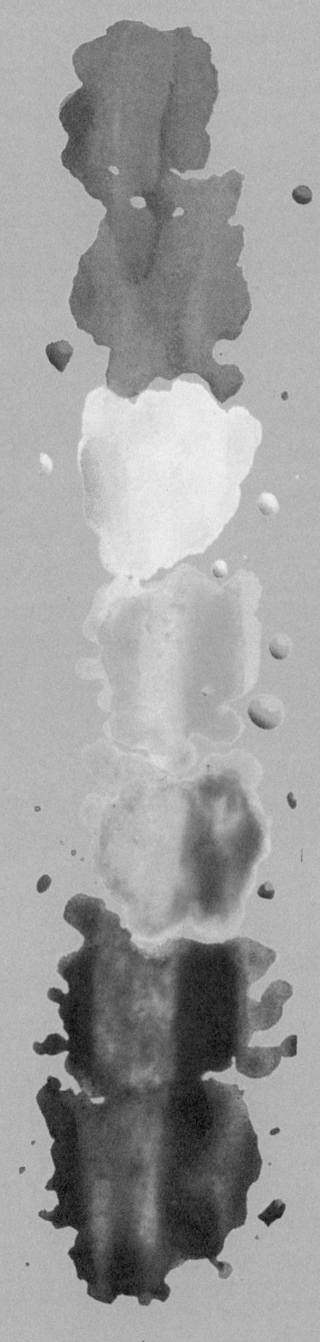

rainbow

regenboog

apple

appel

banana

banaan

tomato

tomaat

orange

sinaasappel

carrot

wortel

peas

erwten

potato

aardappel

corn

maïs

lemon

citroen

grapes

druiven

pear

peer

watermelon

watermeloen

zucchini

courgette

egg

ei

mushroom

paddenstoel

square

vierkant

circle

cirkel

rectangle

rechthoek

triangle

driehoek

cat

kat

dog

hond

fish

vis

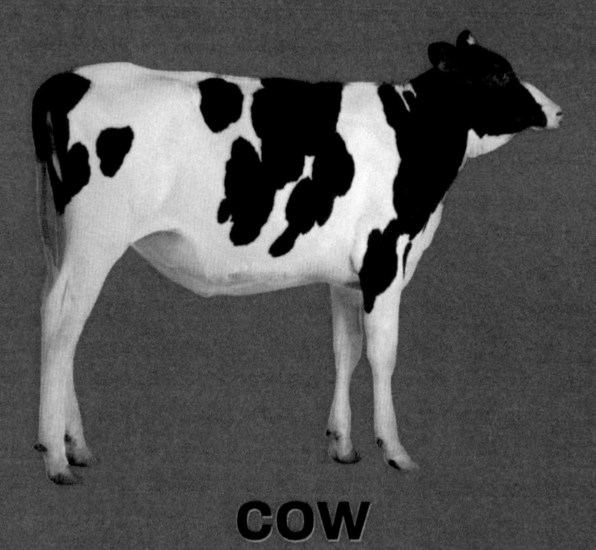

cow

koe

duck

eend

chick

kuiken

hen

kip

frog

kikker

pig

varken

rabbit

konijn

mouse

muis

horse

paard

sheep

schaap

flower

bloem

butterfly

vlinder

ladybug

lieveheersbeestje

snail

slak

cake

taart

bread

brood

clock

klok

key

sleutel

book

boek

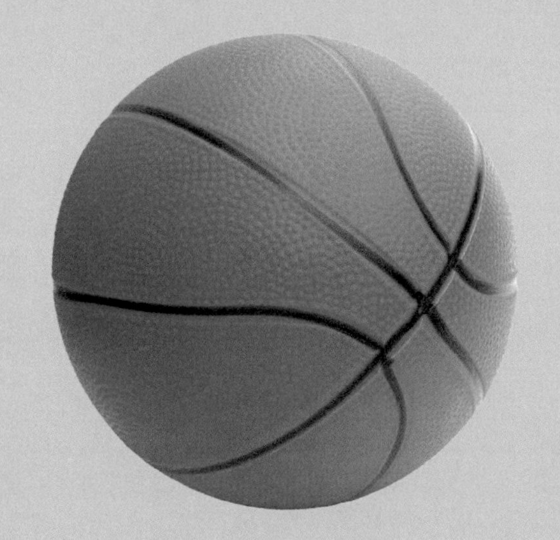

ball

bal

table

tafel

plate

bord

chair

stoel

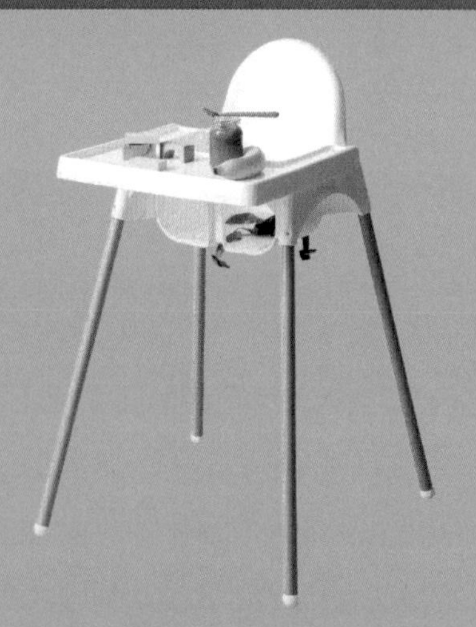

high chair

kinderstoeltje

fork

vork

knife

mes

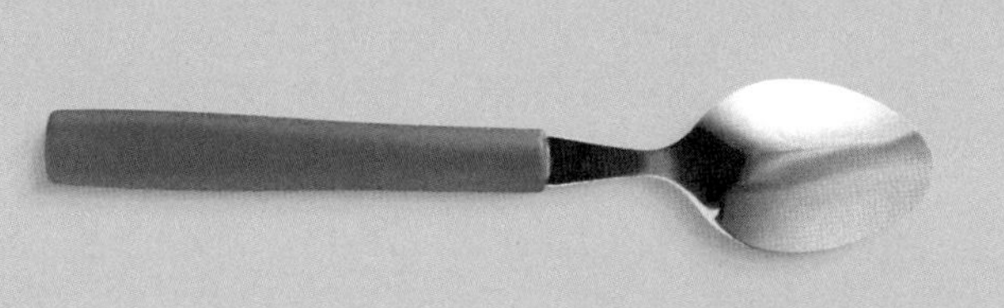

spoon

lepel

cup

beker

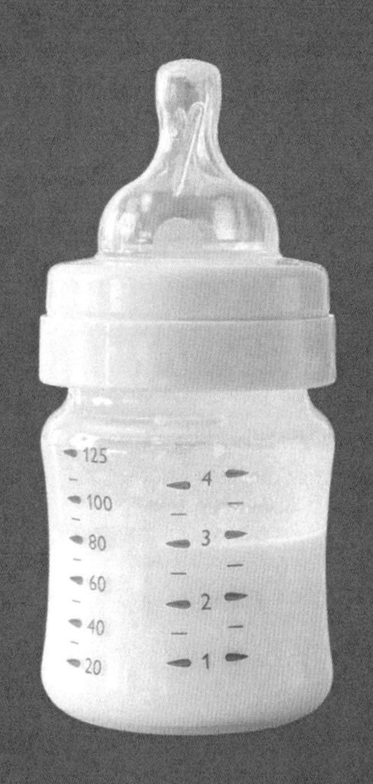

baby bottle

baby flesje

glass

glas

bed

bed

crib

wieg

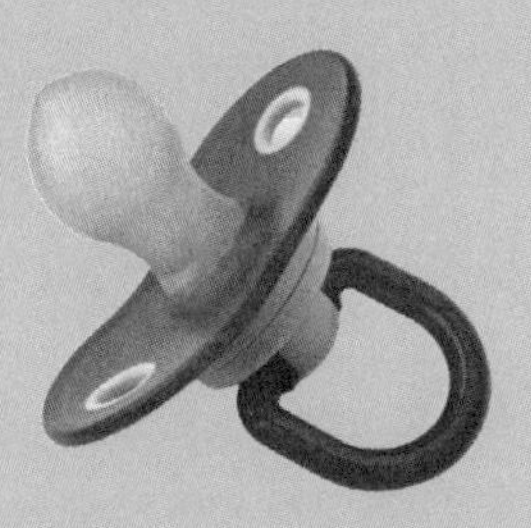

teddy bear

teddybeer

pacifier

speen

towel

handdoek

sink

wastafel

toothbrush

tandenborstel

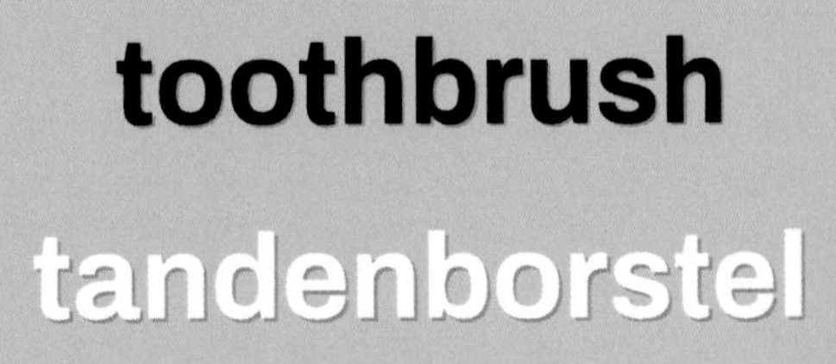

soap

zeep

toilets

toiletten

potty

potje

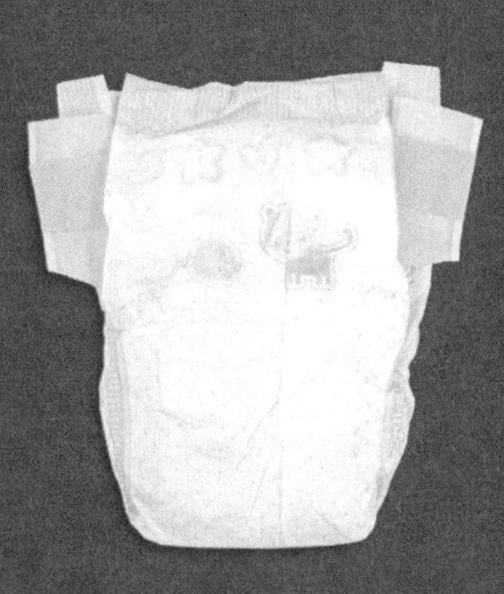

diaper

luier

car

auto

bike

fiets

plane

vliegtuig

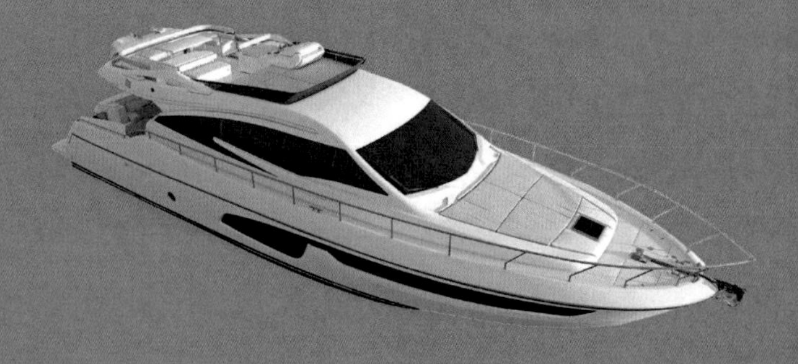

boat

boot

firetruck

brandweerwagen

train

trein

toys

speelgoed

LOW
HIGH

Made in the USA
Las Vegas, NV
05 November 2024